Adam Bond

CACHE-CACHE
LA VIE SOUS-MARINE

Kate Needham

Illustrations : Ian Jackson
Maquette : Andy Griffin

Directrice de la collection : Felicity Brooks
Experts-conseils : Professeurs Margaret Rostron et John Rostron
Conseiller en plongée sous-marine : Reg Vallintine

Pour l'édition française : Traduction : Lucia Ceccaldi
Rédaction : Renée Chaspoul et Nick Stellmacher

Ce serpent vit dans les mangroves. Découvre les autres habitants de ces lieux en pages 24 et 25.

Tu verras les manchots des îles Galápagos s'élancer sous l'eau aux pages 26 et 27.

Les fous de Bassan, aux pages 26 et 27, plongent profond pour attraper des poissons.

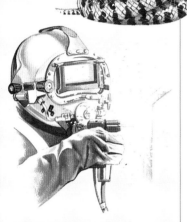

Découvre pages 22 et 23 le travail des plongeurs dans les fonds marins.

Cette machine sous-marine sert à réparer les plates-formes pétrolières, pages 22 et 23.

Les loutres de mer vivent dans des forêts de varechs, comme les autres animaux des pages 20 et 21.

Sommaire

Bon nombre d'espèces des récifs coralliens ont des couleurs vives, comme le montrent les pages 18 et 19.

Tu découvriras pages 18 et 19 quel équipement les plongeurs utilisent pour respirer sous l'eau.

Palmes

Couteau

Bouteille

Stab

Détendeur

Découvre les étranges animaux qui vivent au fond de l'océan pages 16 et 17.

À propos de ce livre

Les ammonites vivaient il y a plus de 200 millions d'années. Découvre d'autres animaux très anciens aux pages 4 et 5.

Cet ouvrage te fera découvrir un monde sous-marin fascinant et connaître les nombreux animaux et plantes qui y vivent.

Apprends en t'amusant grâce aux jeux qui te sont proposés. Voici, ci-dessous, comment faire.

Où se cachent les dangereuses murènes des pages 6 et 7 ?

Il y a des centaines de choses à trouver sur chaque illustration. Dans la réalité, les mers sont bien moins peuplées.

Chaque grande illustration est entourée d'illustrations plus petites.

Le texte qui accompagne chaque petit dessin t'indique combien d'autres choses semblables tu trouveras dans l'illustration principale.

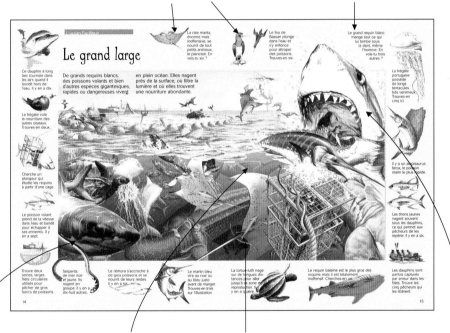

Regarde pages 8 et 9 ce que renferment les petites mares d'une côte rocheuse.

Tu ne vois qu'une partie de ce requin, mais il doit être pris en compte.

Cette raie manta, au loin, compte également.

Compte bien tous ces serpents.

Ce requin qui dépasse de l'illustration fait office de petite illustration, il ne faut donc pas le compter.

Cherche pages 10 et 11 le premier sous-marin à avoir navigué sous la glace de l'Arctique.

Le jeu consiste à chercher sur l'illustration centrale toutes les choses mentionnées autour. Certaines sont faciles, d'autres moins, car elles sont en partie cachées ou minuscules. Et veille à ne pas confondre les animaux qui se ressemblent. Si tu ne trouves pas, consulte les réponses pages 28 à 31.

Trouve des coffres pleins de pièces d'or et d'autres trésors de pirates pages 12 et 13.

Pages 16 et 17, tu en sauras plus sur les sous-marins qui explorent les océans.

L'apilausorus ferox des pages 14 et 15 est le poisson marin le plus rapide.

Regarde aux pages 14 et 15 quel est le plus dangereux de tous les requins.

Mers de la préhistoire

Trouve deux placodus, à puissantes mâchoires.

L'ammonite attrapait sa nourriture avec ses tentatules. Trouves-en treize.

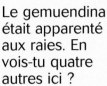

Le gemuendina était apparenté aux raies. En vois-tu quatre autres ici ?

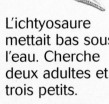
L'ichtyosaure mettait bas sous l'eau. Cherche deux adultes et trois petits.

Trouve quatre méduses, qui sont apparues il y a plus de 600 millions d'années.

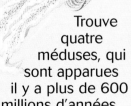
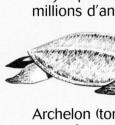

Archelon (tortue de mer géante). Elle pouvait se cacher sous sa dure carapace. Il y en a deux.

À cette époque, les terres étaient peuplées de dinosaures et les mers d'animaux géants, ainsi que d'autres de petite taille. Certains existent encore aujourd'hui. Il y en a 21 espèces sur l'illustration.

Les lys de mer sont des animaux, non des fleurs. Cherches-en un groupe.

La chimère monstrueuse doit son nom à sa drôle de tête. Trouves-en deux.

L'elasmosaurus avait un très long cou. En vois-tu un ?

4

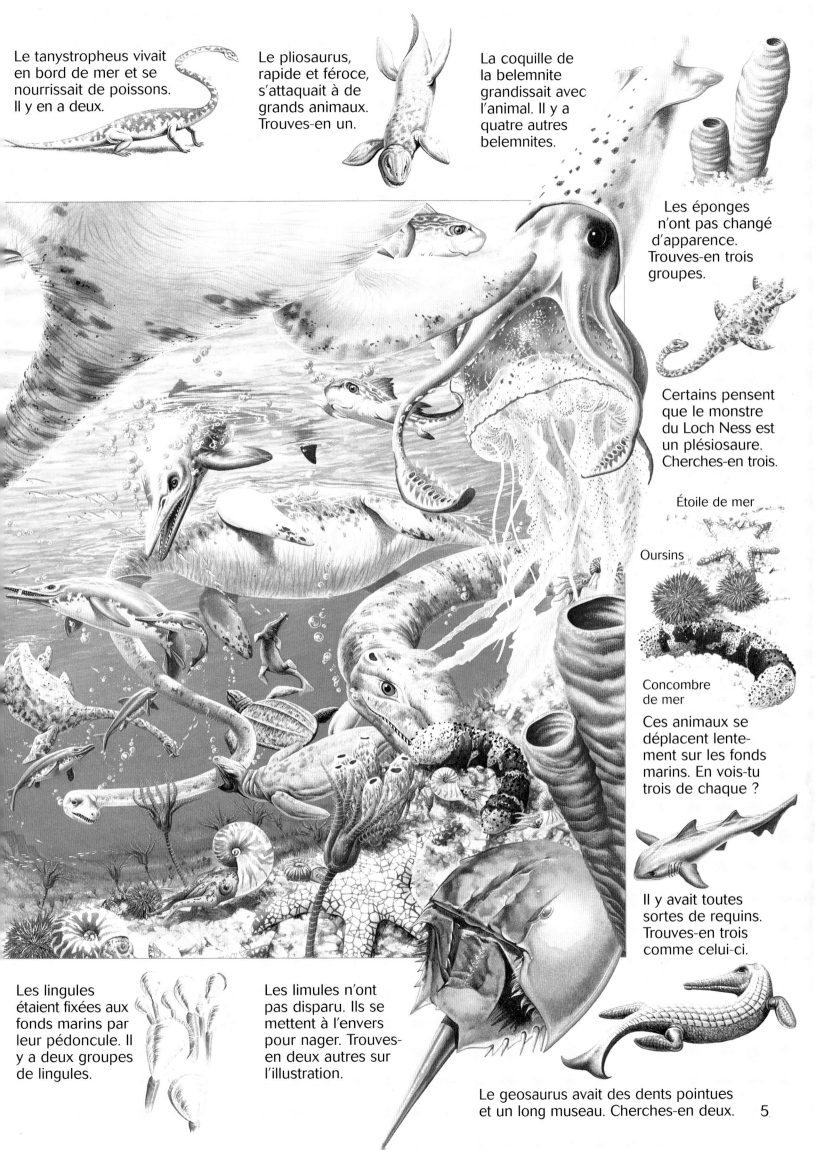

Le tanystropheus vivait en bord de mer et se nourrissait de poissons. Il y en a deux.

Le pliosaurus, rapide et féroce, s'attaquait à de grands animaux. Trouves-en un.

La coquille de la belemnite grandissait avec l'animal. Il y a quatre autres belemnites.

Les éponges n'ont pas changé d'apparence. Trouves-en trois groupes.

Certains pensent que le monstre du Loch Ness est un plésiosaure. Cherches-en trois.

Étoile de mer

Oursins

Concombre de mer

Ces animaux se déplacent lentement sur les fonds marins. En vois-tu trois de chaque ?

Il y avait toutes sortes de requins. Trouves-en trois comme celui-ci.

Les lingules étaient fixées aux fonds marins par leur pédoncule. Il y a deux groupes de lingules.

Les limules n'ont pas disparu. Ils se mettent à l'envers pour nager. Trouves-en deux autres sur l'illustration.

Le geosaurus avait des dents pointues et un long museau. Cherches-en deux.

5

Une épave

L'ensemble de l'épave est vite recouvert de coraux. Vois-tu cette ancre ?

Le requin des récifs coralliens semble dangereux mais il attaque rarement les plongeurs. Il y en a trois.

Ce bateau transportait des motos. Trouves-en trois recouvertes de coraux.

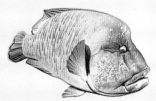

Labre napoléon. Ce gros poisson inoffensif suit souvent les plongeurs. En vois-tu trois ?

Certaines épaves contiennent des trésors. Trouve dix-huit lingots d'or ici.

On ne sait jamais ce que l'on va trouver lorsqu'on plonge pour explorer une épave. D'étranges animaux tapis dans les grands fonds ? Un trésor enfoui dans le sable ? Ce bateau a coulé il y a longtemps et il est à présent recouvert de coraux.

Grâce à un œil et à une narine de chaque côté de sa tête, le requin marteau a une vue et un odorat excellents. Il y en a quatre autres.

Le poisson crocodile a des yeux verts brillants. En vois-tu un caché sur le fond marin ?

Des coraux colorés recouvrent l'épave. Trouve quatre massifs roses.

Le poisson-perroquet grignote les coraux avec sa bouche semblable à un bec. Il y en a trois.

Ce plongeur descend explorer l'épave. En vois-tu sept autres sur l'illustration ?

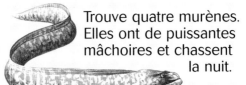
Trouve quatre murènes. Elles ont de puissantes mâchoires et chassent la nuit.

Un poisson-porc-épic effrayé gonfle jusqu'à ressembler à un ballon épineux. Trouves-en quatre.

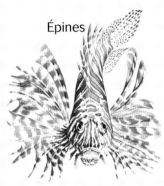
Épines

La rascasse volante possède des épines toxiques sur le dos. En vois-tu deux ?

Le labre nettoyeur nettoie bouche et branchies des gros poissons. Il y en a quatre au travail.

Le mérou à taches bleues aime vivre dans les cavités des épaves. En vois-tu quatre ?

Ces poissons se reconnaissent entre eux grâce à leurs motifs. Trouves-en vingt de chaque type.

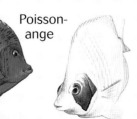
Poisson-ange

Grâce à sa torche, le plongeur peut voir à l'intérieur de l'épave. Trouve quatre torches.

Ces petits poissons nagent en grands groupes appelés bancs. Cherches-en un banc.

Anthias

Poisson-papillon ou chétodon

7

Une côte rocheuse

Étoile de mer commune

Astérine bossue

Étoile de mer sanglante

Il existe toutes sortes d'étoiles de mer. La plupart ont cinq bras. Il y en a quatre de chaque.

L'actinie brune se ferme hermétiquement pour garder son eau jusqu'au retour de la mer. En vois-tu vingt ?

Le bernard-l'ermite élit domicile dans un coquillage vide et déménage quand il grandit. Trouves-en deux.

Patelles

Moules

Certains animaux vivant dans une coquille restent fixés aux rochers. Il y a cinq groupes de chaque.

La mouette tridactyle vit sur les falaises et pêche en mer. Il y en a cinquante.

Cette côte rocheuse est recouverte puis découverte par la mer deux fois par jour. Quand elle se retire, de nombreuses espèces restent dans de petites mares comme celle-ci. En cherchant bien, tu trouveras plus de cent individus sur ces pages.

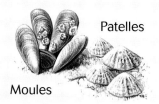

Le phoque gris a de grands yeux pour bien voir dans les eaux troubles. En vois-tu neuf ?

La gonelle est longue et fine, avec des taches sur le dos. Cherches-en quatre.

Grâce à ses yeux situés sur la tête, le gobie des roches voit au-dessus de lui. Cherches-en deux.

La pieuvre peut se blottir dans un petit espace. En vois-tu une ?

Certaines roches renferment des fossiles comme ces ammonites. Trouves-en dix.

L'huîtrier pie se sert de son bec pointu pour se nourrir de coquillages. Il y en a trois autres.

Crabe commun

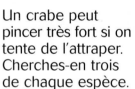

Tourteau

Étrille

Un crabe peut pincer très fort si on tente de l'attraper. Cherches-en trois de chaque espèce.

La blennie utilise ses nageoires pour aller jusqu'à une autre mare. Il y en a trois.

Les balanes se fixent sur tout type de surface dure. Trouves-en sur les roches, les crabes et les moules.

Les crevettes sont presque transparentes et difficiles à voir. Il y en a sept.

Vois-tu l'épuisette et le seau que quelqu'un a oublié dans l'eau ?

Le galathée a d'énormes pattes avant, plus grosses que le corps. Il y en a deux.

9

Proue

Mers de glace

Épaisse fourrure et couche de graisse protègent l'ours polaire du froid quand il nage dans l'eau glacée. Il y en a quatre.

Les navires de recherche brisent la glace avec leur proue très solide. Trouves-en un.

L'océan Arctique est si froid que les deux tiers sont recouverts de glace toute l'année. Malgré l'eau très froide, beaucoup d'espèces y vivent. Les savants y viennent pour étudier la glace et en savoir plus sur les changements de climat de la Terre.

Les bélugas, une sorte de dauphin, communiquent entre eux en émettant des sons variés. Cherches-en trois.

Trouve trois bébés phoques. Ils ont une fourrure blanche et duveteuse.

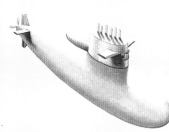

Vois-tu le Nautilus, le premier sous-marin à traverser l'océan Arctique sous la glace ?

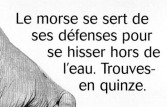

Le morse se sert de ses défenses pour se hisser hors de l'eau. Trouves-en quinze.

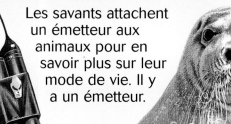

Les savants attachent un émetteur aux animaux pour en savoir plus sur leur mode de vie. Il y a un émetteur.

Le phoque barbu cherche des crustacés avec ses longues moustaches. En vois-tu trois ?

Le narval mâle a une longue défense torsadée qui est en fait une énorme incisive. Trouve huit narvals.

La sterne arctique fait chaque année l'aller retour entre le pôle Nord et le pôle Sud. En vois-tu quatre ?

La baleine à bosse bondit parfois hors de l'eau. Cherches-en trois ici.

Phoque du Groenland

Phoque annelé

Phoque à ruban

On reconnaît les types de phoque au motif de leur fourrure. Il y en a cinq de chaque.

Trouve deux labbes arctiques. Il vole sa nourriture aux autres oiseaux.

Le macareux moine « pagaie » avec ses ailes quand il plonge sous l'eau pour pêcher. Trouves-en trois.

L'épaulard attrape les phoques en renversant les plaques de glace sur lesquelles ils se tiennent. Il y en a trois.

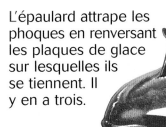

Les mergules nains cherchent leur nourriture en groupe. Cherches-en dix.

La baleine bleue est probablement le plus grand animal ayant jamais existé. Trouves-en une.

Anse

Un trésor de pirates

Les pirates recherchaient les coffres pleins de pièces d'or. Il y en a sep

Trouve une coupe en or aux anses en forme de dauphin.

Ventilateur manuel

Trouve deux ventilateurs manuels. On s'en sert pour soulever le sable qui recouvre les objets.

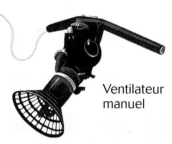

Tonneau

Jarre

La nourriture de l'équipage était stockée dans jarres et tonneaux. Il y en a six de chaque.

Un des plongeurs fait parfois un croquis du navire. Cherches-en un attelé à cette tâche.

Mousquet

Épée

Dague

Au seizième siècle, des galions, navires espagnols, naviguaient des Amériques jusqu'en Espagne chargés d'or et d'argent, et de bijoux. Bon nombre furent attaqués par les pirates. Ces plongeurs explorent un navire qui a coulé avec sa cargaison.

L'équipage du bateau devait être armé pour repousser les pirates. Cherche deux de chacune de ces armes.

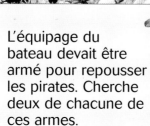

Les plongeurs à la recherche de trésors enterrés utilisent parfois des détecteurs de métal. Trouves-en un.

Trouve deux assiettes en or.

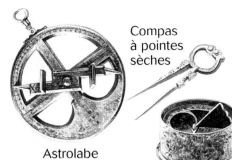

Compas à pointes sèches

Pour naviguer, les marins se dirigeaient avec le soleil et les étoiles. Trouve ces instruments de mesure.

Astrolabe

Cadran solaire

Appareil photo

Lorsque les plongeurs trouvent une épave, ils la mesurent et la photographient. Il y a un appareil photo.

Grille

Les objets lourds sont attachés à des ballons d'air qui les montent à la surface. Trouves-en huit.

Lingot d'argent

Lingot d'or

À partir de l'or et de l'argent de l'Amérique du Sud, on faisait des lingots au Mexique. Trouves-en sept d'argent et six d'or.

Les petits objets sont remontés à la surface dans des paniers. Il y en a six.

Trouve les plongeurs qui mesurent des parties de l'épave.

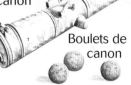

Canon

Boulets de canon

Le capitaine se servait de ce sifflet pour donner des ordres à son équipage. Le vois-tu ?

Les gens riches naviguaient en tant que passagers. Où sont ces six bijoux ?

Médaillon en or

Rosaire

Croix en émeraude

Boucle en or incrustée de pierres

Bague en émeraude

Chaîne en or

Les galions qu'on construisait pour les batailles étaient équipés de canons. Trouve dix canons et vingt boulets.

Le grand large

La raie manta, énorme mais inoffensive, se nourrit de tout petits animaux, le plancton. En vois-tu six ?

Ce dauphin à long bec tournoie dans les airs quand il bondit hors de l'eau. Il y en a dix.

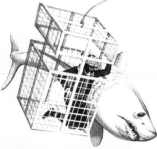

La frégate vole la nourriture des autres oiseaux. Trouves-en deux.

Cherche un plongeur qui étudie les requins à partir d'une cage.

Le poisson volant prend de la vitesse dans l'eau et bondit pour échapper à ses ennemis. Il y en a sept.

De grands requins blancs, des poissons volants et bien d'autres espèces gigantesques, rapides ou dangereuses vivent en plein océan. Elles nagent près de la surface, où filtre la lumière et où elles trouvent une nourriture abondante.

Trouve deux seines, larges filets circulaires utilisés pour pêcher de gros bancs de poissons.

Serpents de mer noir et jaune. Ils nagent en groupe. Il y en a dix-huit autres.

Le rémora s'accroche à de gros poissons et se nourrit de leurs restes. Il y en a six.

Le marlin bleu vire au noir ou au bleu juste avant de manger. Trouves-en trois sur l'illustration.

Le fou de Bassan plonge dans l'eau et s'y enfonce pour attraper des poissons. Trouves-en six.

Le grand requin blanc mange tout ce qui lui tombe sous la dent, même l'homme. En vois-tu trois autres ?

La frégate portugaise possède de longs tentacules très venimeux. Trouves-en cinq ici.

Il y a un alepisaurus ferox, le poisson marin le plus rapide.

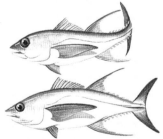

Les thons jaunes nagent souvent sous les dauphins, ce qui permet aux pêcheurs de les repérer. Il y en a six.

La tortue-luth nage sur de longues distances pour atteindre sa zone de reproduction. Il y en a quatre.

Le requin baleine est le plus gros des requins mais il est totalement inoffensif. Cherches-en un.

Les dauphins sont parfois capturés par erreur dans les filets. Trouve les cinq pêcheurs qui les libèrent.

Les abysses

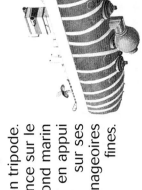

Le bathyscaphe ressemble à un énorme dirigeable. Il peut atteindre les fosses profondes. En vois-tu deux ?

La baudroie utilise sa longue nageoire terminée par une zone luminescente pour attirer d'autres poissons. Trouves-en trois.

Pogonophores. Ils absorbent leur nourriture par la peau et les tentacules. Cherches-en cinq groupes.

Poisson tripode. Il avance sur le fond marin en appui sur ses nageoires fines.

Ce magnétomètre tiré par un bateau en surface détecte ce qui se trouve sur les fonds marins. Trouves-en trois.

Les abysses, sombres et glacials, sont la zone la plus profonde de l'océan. Les explorateurs y descendent dans de petits sous-marins, les submersibles. Il y ont trouvé fosses profondes, volcans, sources chaudes et animaux étranges.

Nautile

Turtle

Alvin

Les submersibles ont d'épaisses parois, capables de résister à la pression exercée par la masse d'eau. Trouve les trois ci-dessus.

Le colossendeis limopsis mesure jusqu'à 50 cm de diamètre. En vois-tu cinq ?

Le poisson-hachette a deux énormes yeux en haut du crâne. Il y en a dix-sept.

16

Les yeux du calmar géant sont dix-sept fois plus gros que les nôtres. Il y en a quatre.

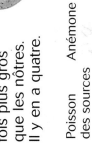

Poisson   Anémone
des sources
hydro-
thermales

Crabe

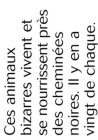

Ces animaux bizarres vivent et se nourrissent près des cheminées noires. Il y en a vingt de chaque.

L'aérosub, un submersible, atteint les fonds marins très rapidement. En vois-tu un ?

Le chauliodus se décroche la mâchoire pour avaler de gros poissons. Trouves-en deux.

Le poisson-lanterne a des lumières sur le corps. Il y en a vingt-deux.

Submersibles et robots sont équipés de bras articulés qui ramassent ce qui est au sol. Cherches-en cinq autres.

Trouve quatre eurypharinx. Avec sa large bouche, il peut avaler de gros poissons.

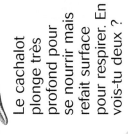

Le cachalot plonge très profond pour se nourrir mais se refait surface pour respirer. En vois-tu deux ?

Ce robot est piloté depuis un submersible ou un bateau grâce à un câble. Trouves-en trois.

Des cheminées noires (fumeurs) se forment autour des sources chaudes. Il y en a quinze.

17

Plongée en récif

La plongée sous-marine fait beaucoup d'adeptes et la Grande Barrière de corail en Australie est l'un des sites les plus appréciés. Les récifs sont constitués des squelettes de milliers de minuscules polypes appelés coraux. Cherche quinze plongeurs.

Avec ses palmes, un plongeur avance plus vite. En vois-tu trois paires jaunes ?

Le bénitier se développe très lentement et peut vivre cent ans. Trouves-en deux.

Le nudibranche est petit mais a des couleurs vives. Trouves-en un de chaque.

Flash

Un appareil photo étanche est équipé de puissants flashs. Trouves-en quatre.

Cuboméduse

Cône

Serpent de mer

Ces trois espèces venimeuses peuvent être mortelles. Il y en a une de chaque.

Bouteille

Détendeur

Le plongeur respire l'air comprimé des bouteilles. Trouves-en un équipé de deux bouteilles.

Tuba

Vois-tu trois tubas bleus ?

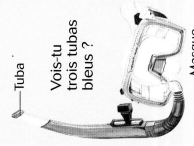

Masque

Cherche un masque qui fuit, à moitié rempli d'eau.

Tout va bien.

Remontons.

Sous l'eau, les plongeurs communiquent par des signes. En vois-tu deux qui font ceci ?

Gorgone

Acropora

Méandrine

Bien que certains
ressemblent plus
à des roches, les
coraux sont des
animaux. Trouve
quatre massifs de
chaque type.

Pour descendre
plus facilement, le
plongeur accroche
des plombs à sa
ceinture. Il y en a
un avec six plombs.

Le poisson-
clown se
cache dans
des anémones
toxiques. Il y en
a neuf autres.

Le barracuda
est curieux et
suit parfois les
plongeurs. En
vois-tu cinq ?

Trouve un gilet
stabilisateur (stab)
rose. Le plongeur
le gonfle pour
remonter et le
dégonfle pour
redescendre.

Une multitude
de poissons
vivent dans
les récifs.
Trouves-
en trois de
chaque type.

Vois-tu quatre
plongeurs
équipés de
couteaux ?

Couteau

Combinaison
de plongée

Il y a un plongeur
qui porte une
combinaison rose
comme celle-ci.

Profondi-
mètre

La console ci-
dessus indique
la quantité d'air
restant ainsi que
la profondeur.
Il y en a quatre.

Air

Une bouée en
surface indique
la position du
plongeur. En
vois-tu une ?

Poisson-chirurgien

Baliste clown

Tranchoir

Forêt de varechs

Les varechs géants de Californie sont les plantes qui poussent le plus vite du monde : jusqu'à 60 cm par jour. Ces algues forment des forêts qui abritent des milliers d'espèces. Le varech entre dans la composition des glaces ou de la peinture par exemple.

Le cyprin océanique défend férocement son territoire dans les varechs. Il y en a onze.

La loutre de mer s'entoure de varechs quand elle fait la sieste en surface. En vois-tu huit ?

Trouve six crabes des varechs, qui changent de coquille à chaque poussée de croissance.

Trouve deux étoiles de mer. Elle se tient sur l'extrémité de ses cinq bras pour pondre ses œufs.

La raie aigle plane dans la forêt comme si ses nageoires étaient des ailes. Trouves-en trois.

La baleine grise se réfugie dans les algues pour mettre son petit à l'abri. Trouve une mère et son petit.

Le troque se nourrit de varechs. Il y en a dix-sept.

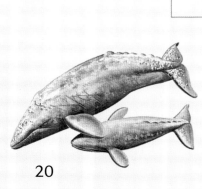

L'otarie de Californie est joueuse et nage très vite. En vois-tu trois ici ?

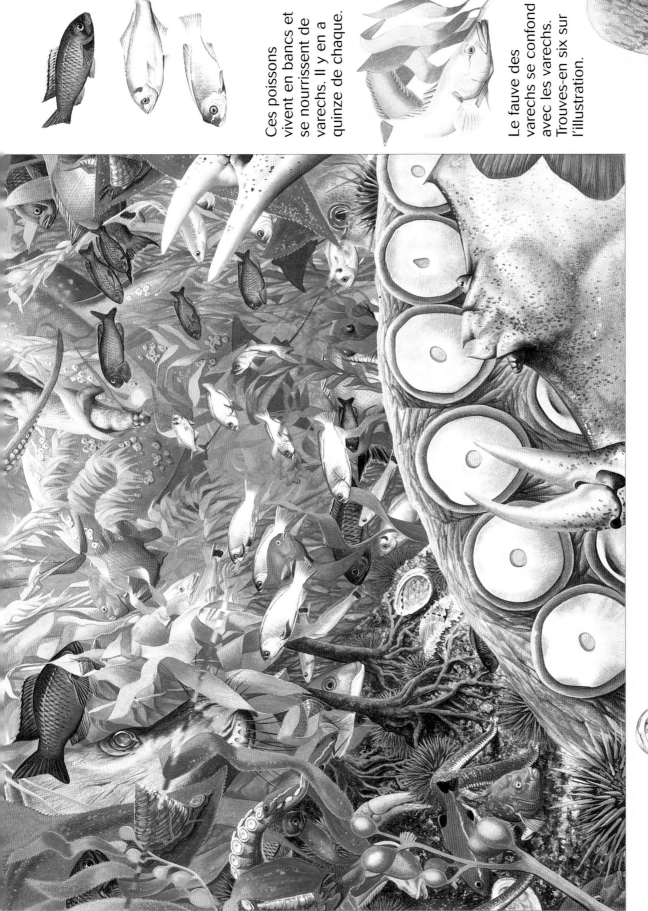

Ces poissons vivent en bancs et se nourrissent de varechs. Il y en a quinze de chaque.

Le fauve des varechs se confond avec les varechs. Trouves-en six sur l'illustration.

La pieuvre géante saisit ses proies avec ses puissants tentacules. En vois-tu quatre ?

Des bateaux comme celui-ci récoltent les algues. Trouves-en un ici.

La demoiselle nettoie d'autres poissons et les varechs. Vois-tu cinq demoiselles ?

L'ormeau a une très belle coquille. Trouve un ormeau et deux coquilles vides.

Jeune

Femelle

Mâle

La femelle, le mâle et le jeune de ce type de labre ne se ressemblent pas. Trouves-en trois de chaque.

Les oursins mangent les varechs et les détruisent. Il y en a six rouges et six violets.

Chaque algue s'agrippe à la roche par un crampon. En vois-tu trois autres ?

21

Plate-forme pétrolière

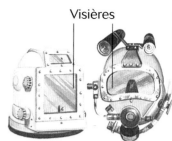

Visières

Le casque du scaphandre permet de respirer et de voir. Cherche un casque à visière carrée.

La plate-forme est d'abord construite sur terre, puis remorquée en mer. Trouves-en cinq.

Scaphandre rigide

Le scaphandre rigide protège le plongeur contre la pression de l'eau. Cherches-en deux de ce type...

et cinq de ce type, équipé de propulseurs pour faciliter les mouvements du plongeur.

Le congre a des dents pointues et vit dans des cavités. Les plongeurs doivent donc y prendre garde. En vois-tu quatre ?

Quand on trouve du pétrole dans les fonds marins, on construit une plate-forme pétrolière pour le remonter en surface. Plongeurs de grands fonds et robots submersibles surveillent la construction et effectuent les réparations.

Le caisson sous pression sert à faire descendre les plongeurs en profondeur. Trouves-en trois.

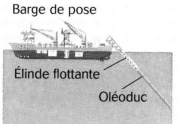

Barge de pose

Élinde flottante

Oléoduc

Cherche une barge de pose, un bateau spécial qui met en place les oléoducs.

Trois plongeurs utilisent des appareils à tige incandescente pour couper le métal.

Certains phoques féroces tentent de chasser les plongeurs. Il y a cinq phoques.

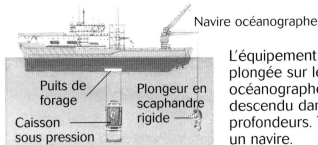

Navire océanographe

Puits de forage

Caisson sous pression

Plongeur en scaphandre rigide

L'équipement de plongée sur le navire océanographe est descendu dans les profondeurs. Trouve un navire.

Des ballons gonflés d'air soutiennent les lourdes charges. Trouves-en dix.

Trouve cinq paniers comme celui-ci pour descendre les outils de la surface.

ROV (Remotely Operated Vehicle)

Pour chaque type de travail, on utilise un robot particulier. Ici, un ROV à bras mécaniques. Il y en a trois.

Des ROV équipés de caméras filment dégâts et réparations. Trouves-en six.

Gaz   Eau chaude

Ligne téléphonique

Un câble relie le plongeur au caisson et lui fournit gaz et eau chaude. Il y en a six.

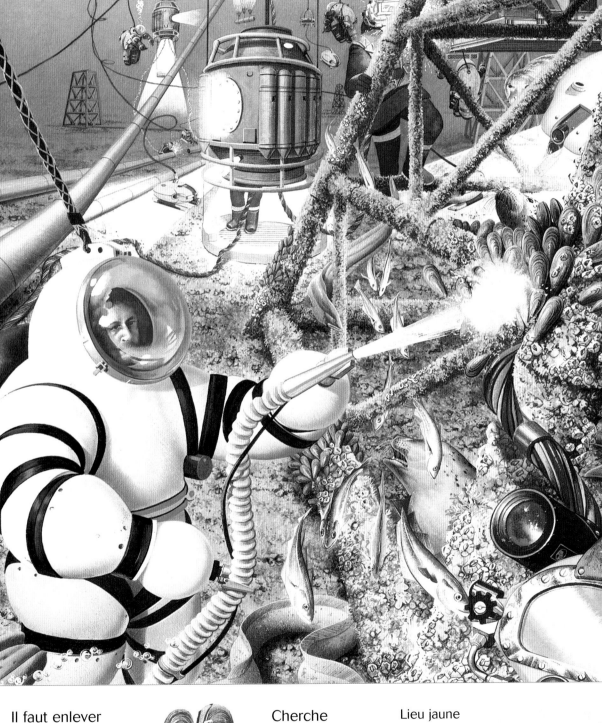

Il faut enlever les moules accrochées à la plate-forme. Cherche cinq bancs de moules.

Cherche douze de chacun de ces poissons.

Lieu jaune

Morue

Cette pompe à jet d'eau est utilisée entre autres pour le nettoyage. En vois-tu une ?

23

La jungle du bord de mer

Un balbuzard-pêcheur. Il attrape les poissons avec ses serres. En vois-tu un ?

Trouve quatre ibis falcinelles. Avec son long bec, il capture crustacés, insectes et même serpents.

La loutre barbote en surface et va se nourrir en profondeur. Il y en a trois.

Ces crabes (il y en a vingt-deux) se reconnaissent entre eux grâce à leur carapace bleue.

Les racines aériennes des palétuviers de la mangrove abritent beaucoup d'espèces. Cet arbre pousse dans les régions chaudes, à l'embouchure des rivières. Les racines enchevêtrées qui s'enfoncent dans la vase soutiennent l'arbre.

Crocodile marin. Il est très gros et très dangereux. Trouves-en trois autres ici.

Ce serpent de mer ondule dans l'eau à la recherche de poissons ou de crabes. Cherche sept serpents.

Le sauteur de boue utilise ses nageoires comme des bras pour se hisser sur la vase. Il y en a vingt-cinq.

Huître

Chama

Les racines des palétuviers sont propices à la reproduction des coquillages. Trouve vingt et un individus de chaque.

Pour se cacher, ce jeune poisson se met sur le côté à la surface de l'eau. Il ressemble à une feuille. Il y en a douze.

Les animaux de l'océan viennent souvent se nourrir des plantes qui poussent dans les mangroves. Trouve deux tortues.

Le macaque de Buffon ouvre la carapace des crabes avec ses puissantes dents. Trouves-en deux.

Quand le martin-pêcheur repère un poisson, il plonge la tête la première. Trouves-en cinq.

Le nasique aime nager et va souvent dans l'eau pour se rafraîchir. En vois-tu cinq ?

Certains plants de palétuviers flottent pendant un an avant de s'enraciner dans la vase. En vois-tu quatorze ?

Contrairement à la plupart des grenouilles, les grenouilles-crabières aiment l'eau salée. Il y en a trois.

Le crabe violoniste mâle se sert de son énorme pince pour combattre ses rivaux. Il y en a trois.

Les îles volcaniques

Cherche quatre mouettes à queue fourchue.

Certaines de ces îles volcaniques sont toujours en éruption. Cherches-en une.

Les îles Galápagos se sont formées à la suite d'éruptions volcaniques sous-marines. Elles sont loin de tout continent et abritent des espèces que l'on ne trouve nulle part ailleurs dans le monde.

L'otarie aime surfer sur les vagues, mais elle doit se méfier des requins. Il y a cinq otaries.

Cormoran aptère. Il étend ses ailes pour les faire sécher après un plongeon. En vois-tu un ?

Dauphin commun

Dauphin tacheté

Le dauphin monte souvent respirer en surface. Trouve deux dauphins de chaque.

Le pélican attrape les poissons avec la poche située sous son bec. Il y en a deux.

Le calmar a deux longs tentacules et huit autres courts. Trouve trois calmars.

La frégate mâle gonfle son jabot rouge pour attirer une femelle. Vois-tu deux mâles ?

Le globicéphale pousse son petit vers la surface pour qu'il y respire. Cherche une mère et son petit.

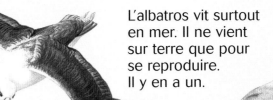

L'albatros vit surtout en mer. Il ne vient sur terre que pour se reproduire. Il y en a un.

Si l'otarie à fourrure a trop chaud, elle reste dans l'eau pour se rafraîchir. Trouves-en deux ici.

Fou de Bassan à pieds rouges

Fou de Bassan à pieds bleus

Le fou de Bassan plonge parfois de 25 m de haut ! Trouves-en quatre de chaque espèce.

Le grapse des rochers a une carapace rouge et un ventre bleu. Il y en a vingt-cinq.

Ce manchot nage sous l'eau en se servant de ses ailes, impropres au vol. En vois-tu huit ?

Le requin-tigre chasse seul. Il nage tout le jour, ne s'arrêtant que pour manger. En vois-tu un ?

L'iguane marin est le seul lézard qui sait nager. Il doit s'exposer au soleil pour se réchauffer. Il y en a quatorze autres.

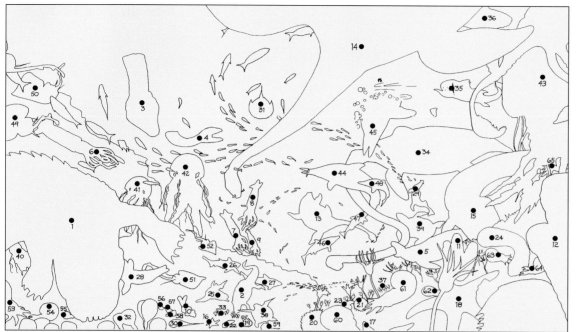

Les mers de la préhistoire 4-5

Placodus 1 2
Tanystropheus 3 4
Pliosaurus 5
Belemnite 6 7 8 9
Éponge 10 11 12
Plésiosaure 13 14 15
Étoile de mer 16 17 18
Oursin 19 20 21
Concombre de mer 22 23 24
Requin 25 26 27
Geosaurus 28 29
Limule 30 31
Lingule 32 33
Elasmosaurus 34
Chimère monstrueuse 35 36
Lys de mer 37
Archelon 38 39
Méduse 40 41 42 43
Ichtyosaure :
  adulte 44 45
  bébé 46 47 48
Gemuendina 49 50 51 52
Ammonite 53 54 55 56 57 58 59 60 61 62 63 64 65

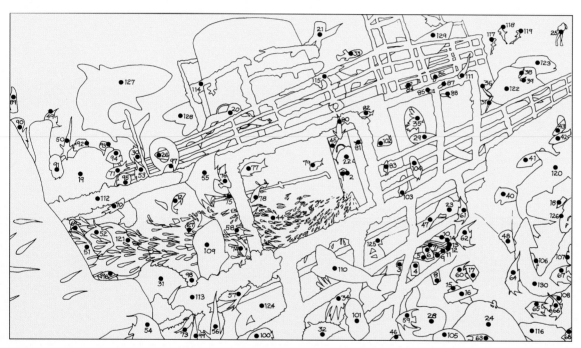

Une épave 6-7

Lingot d'or 1 2 3 4 5 6 7 8 9 10 11 12 13 14 15 16 17 18
Plongeur 19 20 21 22 23 24 25
Murène 26 27 28 29
Poisson-porc-épic 30 31 32 33
Rascasse volante 34 35
Labre nettoyeur 36 37 38 39
Mérou à taches bleues 40 41 42 43
Petit poisson 44
Torche 45 46 47 48
Poisson-ange 49 50 51 52 53 54 55 56 57 58 59 60 61 62 63 64 65 66 67 68
Anthias 69 70 71 72 73 74 75 76 77 78 79 80 81 82 83 84 85 86 87 88
Poisson-papillon 89 90 91 92 93 94 95 96 97 98 99 100 101 102 103 104 105 106 107 108
Poisson-perroquet 109 110 111
Corail rose 112 113 114 115
Poisson crocodile 116
Requin marteau 117 118 119 120
Labre napoléon 121 122 123
Moto 124 125 126
Requin des récifs coralliens 127 128 129
Ancre 13

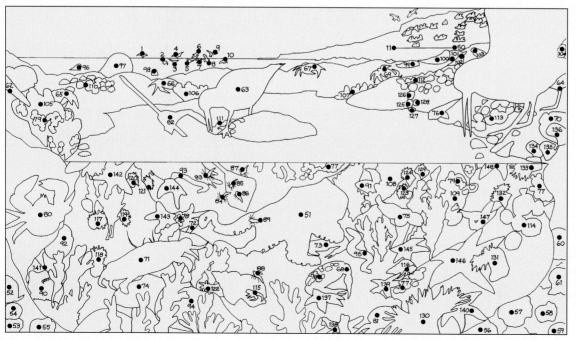

Une côte rocheuse 8-9

Mouette tridactyle 1 2 3 4 5 6 7 8 9 10 11 12 13 14 15 16 17 18 19 20 21 22 23 24 25 26 27 28 29 30 31 32 33 34 35 36 37 38 39 40 41 42 43 44 45 46 47 48 49 50
Pieuvre 51
Ammonite 52 53 54 55 56 57 58 59 60 61
Huîtrier pie 62 63 64
Crabe commun 65 66 67
Tourteau 68 69 70
Étrille 71 72 73
Blennie 74 75 76
Balane sur des rochers 77
Balane sur des crabes 78
Balane sur des moules 79
Galathée 80 81
Épuisette et seau 82
Crevette 83 84 85 86 87 88 89
Gobie des roches 90 91
Gonelle 92 93 94 95
Phoque gris 96 97 98 99 100 101 102 103 104
Moule 105 106 107 108 109
Patelle 110 111 112 113 114
Bernard-l'ermite 115 116
Actinie brune 117 118 119 120 121 122 123 124 125 126 127 128 129 130 131 132 133 134 135 136
Étoile de mer sanglante 137 138 139 140
Astérine bossue 141 142 143 144
Étoile de mer commune 145 146 147 148

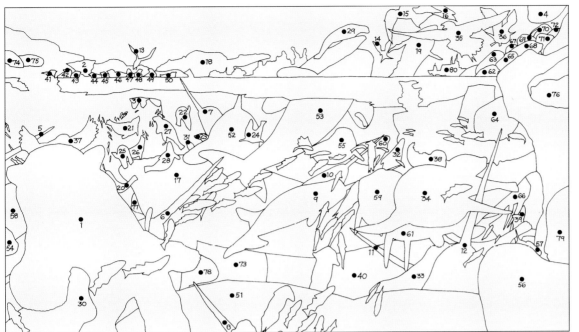

Mers de glace 10-11

Ours polaire 1 2 3 4
Narval 5 6 7 8 9 10
11 12 13
Sterne arctique 13 14
15 16
Baleine à bosse 17
18
Phoque du
Groenland 19 20 21
22 23 24
Phoque annelé 25
26 27 28 29
Phoque à ruban 30
31 32 33 34
Labbe arctique 35
36
Macareux moine 37
38 39
Baleine bleue 40
Mergule nain 41 42
43 44 45 46 47
48 49 50
Épaulard 51 52 53
Phoque barbu 54 55
56
Émetteur 57
Morse 58 59 60 61
62 63 64 65 66

67 68 69 70 71
72
Nautilus 73
Bébé phoque 74 75
76
Béluga 77 78 79
Navire de recherche
80

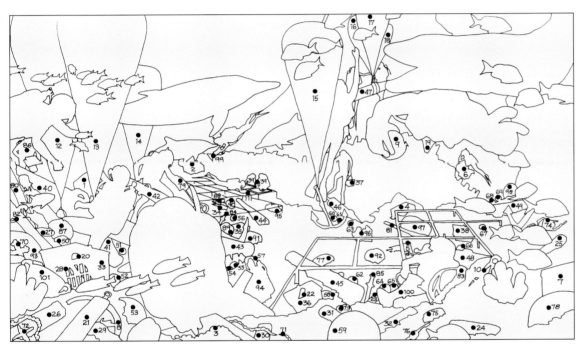

Un trésor de pirates 12-13

Coffre de pièces 1 2
3 4 5 6 7
Astrolabe 8
Cadran solaire 9
Compas à pointes
sèches 10
Appareil photo 11
Ballons remplis d'air
12 13 14 15 16 17
18 19
Lingot d'or 20 21 22
23 24 25
Lingot d'argent 26
27 28 29 30 31
32
Panier 33 34 35 36
37 38
Plongeurs mesurant
l'épave 39
Canon 40 41 42 43
44 45 46 47 48
49
Boulet de canon 50
51 52 53 54 55
56 57 58 59 60
61 62 63 64 65
66 67 68 69

Croix en émeraude
70
Chaîne en or 71
Rosaire 72
Bague en émeraude
73
Médaillon en or 74
Boucle 75
Sifflet 76
Assiette en or 77 78
Détecteur de métal
79
Mousquet 80 81
Épée 82 83
Dague 84 85
Plongeur faisant un
croquis 86
Jarre 87 88 89 90
91 92
Tonneau 93 94 95
96 97 98
Ventilateur manuel
99 100
Coupe en or 101

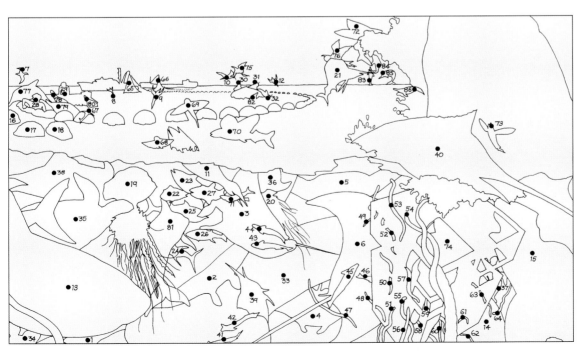

Le grand large 14-15

Raie manta 1 2 3 4
5 6
Fou de Bassan 7 8 9
10 11 12
Grand requin blanc
13 14 15
Frégate portugaise
16 17 18 19 20
Apilausorus ferox 21
Thon jaune 22 23
24 25 26 27
Pêcheur 28 29 30
31 32
Requin baleine 33
Tortue-luth 34 35 36
37
Marlin bleu 38 39
40
Rémora 41 42 43
44 45 46
Serpent de mer 47
48 49 50 51 52
53 54 55 56 57
58 59 60 61 62
63 64
Seine 65 66
Poisson volant 67 68

69 70 71 72 73
Plongeur dans une
cage 74
Frégate 75 76
Dauphin à long bec
77 78 79 80 81
82 83 84 85 86

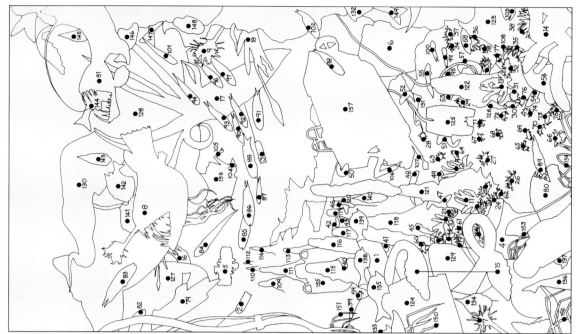

Les abysses 16-17

Magnétomètre 1 2
3
Poisson tripode 4
Bathyscaphe 5 6
Baudroie 7 8 9
Pogonophore 10 11
  12 13 14
Calmar géant 15 16
  17 18
Anémone 19 20 21
  22 23 24 25 26
  27 28 28 30 31
  32 33 34 35 36
  37 38
Poisson des sources
hydrothermales 39
  40 41 42 43 44
  45 46 47 48 49
  50 51 52 53 54
  55 56 57 58
Crabe 59 60 61 62
  63 64 65 66 67
  68 69 70 71 72
  73 74 75 76 77
  78
Aérosub 79
Chauliodus 80 81
Poisson- lanterne 82
  83 84 85 86 87

  88 89 90 91 92
  93 94 95 96 97
  98 99 100 101
  102 103
Bras articulé 104
  105 106 107 108
Fumeur 109 110 111
  112 113 114 115
  116 117 118 119
  120 121 122 123
Robot 124 125 126
Cachalot 127 128
Eurypharinx 129 130
  131 132
Poisson-hachette
  133 134 135 136
  137 138 139 140
  141 142 143 144
  145 146 147 148
  149
Colossendeis
limopsis 150 151 152
  153 154
Submersible :
  Turtle 155
  Alvin 156
  Nautile 157

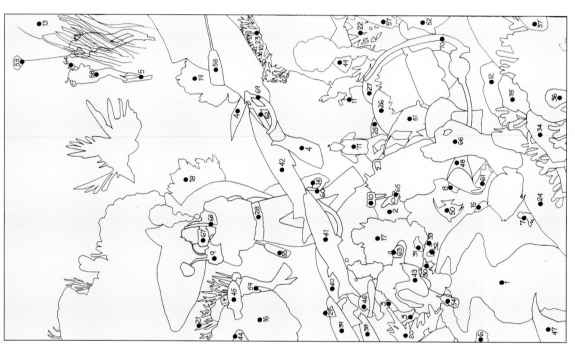

Plongée en récif 18-19

Bénitier 1 2
Palmes jaunes 3 4 5
Nudibranche 6 7 8
Appareil photo 9 10
  11 12
Cuboméduse 13
Serpent de mer 14
Cône 15
Corail :
Gorgone 16 17
  18 19
Acropora 20 21
  22 23
Méandrine 24 25
  26 27
Plongeur avec six
plombs 28
Poisson-clown 29 30
  31 32 33 34 35
  36 37
Barracuda 38 39 40
  41 42
Stab rose 43
Baliste clown 44 45
  46
Poisson- chirurgien
  47 48 49
Tranchoir 50 51 52

Bouée 53
Console 54 55 56
  57
Plongeur en
combinaison rose 58
Couteau 59 60 61
  62
Signaux de plongée :
  Remontons 63
  64
  Tout va bien 65
  66
Masque qui fuit 67
Tuba bleu 68 69 70
Plongeur avec deux
bouteilles 71

Une forêt de varechs 20-21

Loutre de mer 1 2 3
  4 5 6 7 8
Cyprin océanique 9
  10 11 12 13 14 15
  16 17 18 19
Crabe des varechs
  20 21 22 23 24
  25
Étoile de mer 26 27
Raie aigle 28 29 30
Poisson noir 31 32
  33 34 35 36 37
  38 39 40 41 42
  43 44 45
Poisson avec tache
noire 46 47 48 49
  50 51 52 53 54
  55 56 57 58 59
  60
Poisson vert jaune
  61 62 63 64 65
  66 67 68 69 70
  71 72 73 74 75
Fauve des varechs
  76 77 78 79 80
  81
Pieuvre géante 82
  83 84 85

Bateau 86
Demoiselle 87 88
  89 90 91
Ormeau 92
Coquille d'ormeau
  93 94
Crampon 95 96 97
Oursin rouge 98 99
  100 101 102 103
Oursin violet 104
  105 106 107 108
  109
Labre
  mâle 110 111
  112
  femelle 113 114
  115
  jeune 116 117
  118
Otarie 119 120 121
Troque 122 123 124
  125 126 127 128
  129 130 131 132
  133 134 135 136
  137 138
Baleine grise :
  mère 139
  bébé 140

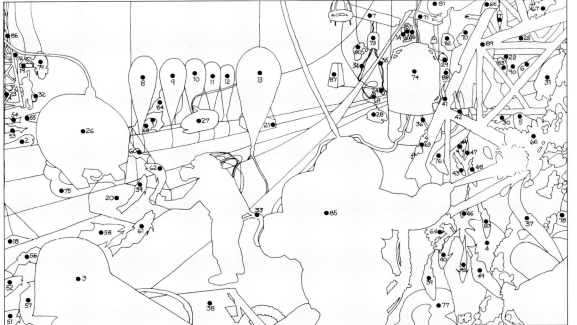

Une plate-forme pétrolière 22-23

Casque à visière plate carrée 1
Phoque 2 3 4 5 6
Navire océanographe 7
Ballon gonflé d'air 8 9 10 11 12 13 14 15 16 17
Panier à outils 18 19 20 21 22
ROV à bras mécaniques 23 24 25
ROV à caméra 26 27 28 29 30 31
Câble 32 33 34 35 36 37
Pompe à jet d'eau 38
Lieu jaune 39 40 41 42 43 44 45 46 47 48 49 50
Morue 51 52 53 54 55 56 57 58 59 60 61 62

Banc de moules 63 64 65 66 67
Plongeur coupant du métal 68 69 70
Barge de pose 71
Caisson sous pression 72 73 74
Congre 75 76 77 78
Scaphandre rigide (deux sortes) 79 80 81 82 83 84 85
Plate-forme 86 87 88 89 90

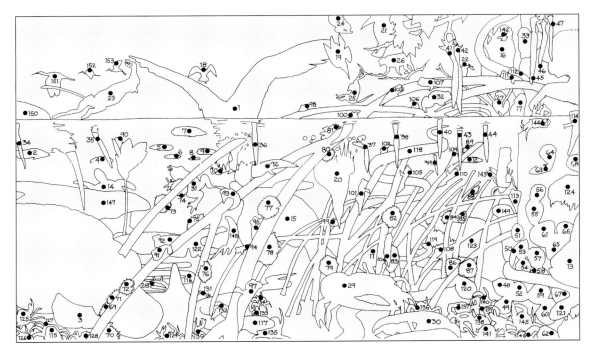

La jungle du bord de mer 24-25

Balbuzard-pêcheur 1
Jeune poisson 2 3 4 5 6 7 8 9 10 11 12 13
Tortue 14 15
Macaque de Buffon 16 17
Martin-pêcheur 18 19 20 21 22
Nasique 23 24 25 26 27
Crabe violoniste mâle 28 29 30
Grenouille-crabière 31 32 33
Plant de palétuvier 34 35 36 37 38 39 40 41 42 43 44 45 46 47
Huître 48 49 50 51 52 53 54 55 56 57 58 59 60 61 62 63 64 65 66 67 68
Chama 69 70 71 72 73 74 75 76 77

78 79 80 81 82 83 84 85 86 87 88 89
Sauteur de boue 90 91 92 93 94 95 96 97 98 99 100 101 102 103 104 105 106 107 108 109 110 111 112 113 114
Serpent de mer 115 116 117 118 119 120 121
Crocodile marin 122 123 124
Crabe à carapace bleu vif 125 126 127 128 129 130 131 132 133 134 135 136 137 138 139 140 141 142 143 144 145 146
Loutre 147 148 149
Ibis falcinelle 150 151 152 153

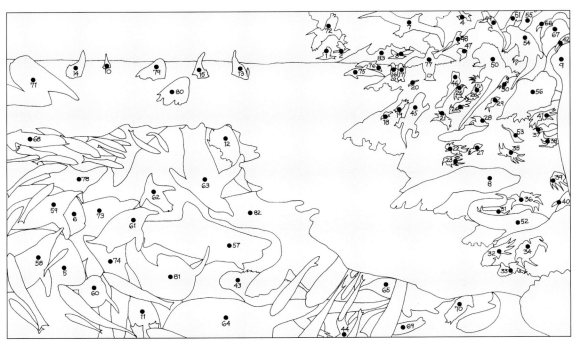

Les îles volcaniques 26-27

Mouette à queue fourchue 1 2 3 4
Globicéphale :
adulte 5
petit 6
Albatros 7
Otarie à fourrure 8 9
Fou de Bassan à pieds rouges 10 11 12 13
Fou de Bassan à pieds bleus 14 15 16 17
Grapse des rochers 18 19 20 21 22 23 24 25 26 27 28 29 30 31 32 33 34 35 36 37 38 39 40 41 42
Iguane marin 43 44 45 46 47 48 49 50 51 52 53 54 55 56
Requin-tigre 57
Manchot 58 59 60 61 62 63 64 65
Frégate mâle 66 67

Calmar 68 69 70
Pélican 71 72
Dauphin tacheté 73 74
Dauphin commun 75 76
Cormoran aptère 77
Otarie 78 79 80 81 82
Île volcanique en éruption 83

Index

Couverture et assistante de maquette : Stephanie Jones • Avec la collaboration de Claire Masset
• Remerciements au professeur John Bevan, à Rachael Swann et à Sophy Tahta